W9-AWN-320

★この作品はフィクションです。実在の人物・団体・事件などには、いっさい関係ありません。

鋼の錬金術師

FULLMETAL ALCHEMIST

荒川弘

あらかわひろむ

15

■ アルフォンス・エルリック
Alphonse Elric

■ エドワード・エルリック
Edward Elric

■ アレックス・ルイ・アームストロング
Alex Louis Armstrong

■ ロイ・マスタング
Roy Mustang

OUTLINE
FULLMETAL ALCHEMIST

エドワードとアルフォンスの兄弟は、
幼き日に喪った母を錬金術により蘇らせようと試みる。
しかし、錬成は失敗しエドワードは
左足と弟のアルフォンスを失ってしまう。
なんとか自分の右腕を代償にアルフォンスの魂を錬成し、
鎧に定着させる事に成功するが
その代償はあまりにも高すぎた。
そして兄弟はすべてを取り戻す事を誓うのだった…。

CHARACTER
FULLMETAL ALCHEMIST

□ ウィンリィ・ロックベル

Winry Rockbell

□ スカー

Scar

□ リザ・ホークアイ

Riza Hawkeye

□ キング・ブラッドレイ

King Bradley

□ ゾルフ・J・キンブリー

Solf J Kimblee

□ マース・ヒューズ

Maes Hughes

CONTENTS

結局軍人になったのか ロイ

はい師匠

行く行くは国家錬金術師の資格を取って国のために働きたいと思っています

やはり まだおまえに「焔の錬金術」は

国家資格を取って研究費の支給を受ければ師匠の研究も更に上に…

その必要は無い

カタ…

私の研究はとうの昔に完成している

最高最強の錬金術だ

使い方によっては最凶にもなり得る

そして満足してしまった

錬金術師は生きているかぎり真理を追い求めずにはいられない生き物だ

考える事をやめた時「錬金術師」は死ぬ

だから私はとうの昔に死んでしまった人間だ

死んだなどと言わないでください

その力をどうかこれからの世のために…

リザ!!

第58話
破滅の足音

ワン!!

ごめんなさいね
エドワード君

いや…
よくある
事だから…

あれ？

ダンボールの山…

引っ越し…
じゃない
よな

ああ
これ？

だめ

……まだ
しばらくは
このままね

中央に
引っ越して来てから
荷物を片付ける
ヒマが無くてね

あ…
…ごめん…

これ固まらないうちに掃除しちゃうわね

銃……

何発か使ったけど人は撃ってないよ

ちょっと遅くなるけどかんべんしてね

そう

人を撃たずに済んでエドワード君も元気に戻って来れたのならそれにこした事は無いわ

「撃たずに済んだ」じゃなくて「撃てなかった」んだ

仲間が危ないって時にも引き鉄が引けなかった

でも
いざと
なったら
撃てなかった

軍に
在籍してるから
銃は見慣れてたし
いつか使う時が
来るかもと
思ってた

何か
あったの？

覚悟が
無いから
周りに
迷惑かけて
ばっかりで

ダメだよな

あいつが傷の男に
銃を向けた時
心底「嫌だ」と
思ったんだ

急に
銃が怖い物に
見えてさ

気がついたら
傷の男の真ん前に
飛び出して
銃押さえ込んで
あいつに
撃たせなかった

傷の男が
ウィンリィの
両親の
敵だった

16

殺したいくらい
憎かったと
思うんだ

今まで
見た事ないくらい
わんわん
泣いてたもん

あいつ いつも明るく
振る舞ってたから
気付かなかったけど…
身内亡くした
苦しみを
今までずっと
抱えてたんだよ

だから
オレもアルも
絶対死なねぇって
約束して…

でも今回
色々あって…

結果的に
生きて戻れたけど
もしかしたら
またあいつを
泣かすような事に
なってたかも
しれない

生きて帰って
来れたからこその
悩みね

ほんとダメだ
心配かけて
ばっかで
覚悟無くて

リンが助けて
くれなかったら
どうなってたか
……

そうやって
悩んで
這いずり回って
格好悪くたって
生きのびなきゃ

大切な人の
ためにも

守って
あげてね

え?

17

イシュヴァールの話

訊いていいかな

カタ

大佐は訊いても何も言わねえし

ウィンリィの両親の事も

傷の男の事も

内乱の発端になった子供射殺事件も

知らない事ばかりで自分の無知さにまいる

キュ…

．．．．．
主観でしか
語れないけど

ガシャン

私が

イシュヴァール殲滅戦に
関わったのは
士官学校
最後の年だった

士官学校生は
卒業する年に
実地訓練として
戦地に
出されるんだけど

私のいた学校が
東だったのと
なにより現場の
人員不足って事で
イシュヴァールに
配置されてね

そのまま
ズルズルと
戦地の
奥深くまで
引っ張られて
行く事に
なったわ

イシュヴァールは岩と砂だらけの厳しい土地

そんな土地だから戒律の厳しい宗教が生まれたのも強靭な民族になったのも無理からぬ事でしょうね

錬金術か！

おお見付かってしまった

……また！

これを見ろ

この時世にまだそんな物をやっているのか！

東の大国シンの錬金術だ

「房中術？」

「そんな物」はないだろう

いや「錬丹術」と言うらしい

24

東の商隊に頼んでおいた物がやっと届いたんだ

いやこれがなかなか面白い

兄者

翻訳に時間がかかりそうだがどうやらこの国の錬金術とは違う形態の…

兄者！！

錬金術はもうやめろ

元来あるべき姿の物を異形へと変成する…

すなわち万物の創造主たるイシュヴァラ神への冒瀆…か？

イシュヴァラに背くわけではない

人々を幸福へと導く技術として錬金術を学んでいるだけだ

世界は常に動き流れている

古いしきたりにしがみ付いていては置いて行かれるぞ！

他国と共栄して行くために新しい風を入れて行くべきだ！

新しい風を入れようとしてアメストリスに付いた結果どうだ！？

地神イシュヴァラの存在と近しいものがあると思わないか?

不思議な縁だ

せっかく縁があるんだからもっと知る努力をするべきだ

そうすればもっと理解しあえる

「一は全 全は一」と言ってな

我々は世界の大きな流れの中の小さな一でしかないと言う思想だ

小さな一が集まって世界という大きな流れを作る

だから負の感情が集まれば世界は負の流れになってしまう

逆に正の感情を集めて世界を正の流れにする事も......と私は解釈している

世界の大いなる流れを知り正しい知識を得たい

そのために私は錬金術を学んでいるんだ

アメストリス人も
イシュヴァール人も
関係無い

ただ一人の
医者として
この状況を
見すごせる
訳がない

それに私達
アメストリス人が
いるとわかれば
国軍もここを標的に
しないでしょう

ごめんなさい
ありがとう
エッジさん

せんせぇ…

気持ちだけ
受け取って
おきます

あーあ
行ってしまった

かっこつけて
帰りそびれたよ

ウィンリィに
怒られる

そうねぇ
すぐ帰るって
約束したものね

32

君だけでも帰せばよかったな

何を言ってるの

患者を置いて帰ったなんて言ったらそれこそウィンリィにもお義母さんにも怒られるわよ

これから配給は増々滞ってくるし手も足りない

苦労するぞ

苦労結構！

ロックベル家の女は根性と肝っ玉が売りよ！

はは……そうでした

何か…

手伝える事ある？

先生…

リゼンブール?

なんでそんな場所が狙われたんだ?

あそこは軍布用羊毛の産地ですから

そんな理由で…

軍に関わる所は徹底的に標的にする気かテロリストどもめ!

リゼンブールの駅前一帯が焼かれたらしいですよ

あんな田舎まで人員を割けるか!!

まったく忌々しいイシュヴァール人め!!

ハクロ将軍!

見ていただきたい物が

これ以上長引かせるのは得策ではありませんな

イシュヴァールの奴らはゲリラ戦を得意としていて厄介この上ない

内乱鎮圧にいくら兵を送り出しても足りんぞ

どれ

まず足元の掃除から始めるか

これはどういう事です！

説明していただきたい！！

ガシャン

本日
キング・ブラッドレイ閣下は
「大総統令三〇六六号」に
署名なされた

FULLMETAL
ALCHEMIST

46

48

52

！

ヒューズ！
おまえも
来てたのか！

ロイ！

おい
久しぶりだな
ロ…

おっと！
今は
「マスタング少佐」か

正しくは
「少佐相当官」だ

実際は
大尉と同じ
権限しか
無いよ

ちょいと
手柄立てりゃ…

はっは！
俺と
一緒だ！

大尉に
なったのか？
いつ？

さっき！
ここじゃ
上も下も
バタバタ
死んでくからな

おまえ…

目つき
変わっちまったな

人殺しの
目だ

そう言う
おまえもな

ああ

懐かしいような
気もするし
ついこの前のような
気もするよ

……本当に
イシュヴァール人
最後の一人を
殺すまで
続ける気かねぇ?

この
殲滅戦

…なぁ
ヒューズ

ん?

国家錬金術師まで
投入して

反乱を
抑えるため
だけが
目的だとしたら
リスクが
大きすぎや
しないか

それは
俺も
考えてた

イシュヴァールは
たいした資源も
これと言った
商業的価値も
無い

ここまで軍備を
浪費させておいて
得られるのが
「東部の安寧」
だけか?

西も南も
一触即発な
このご時勢に?

わからん

ここに
そこまでする
何かがあるのか?

今はほぼ途絶えているが　将来　東方諸国との交易の拠点にするなら……

……焼け野原にするのは旨味が無い

中尉ー！

ヒューズ中尉ー！

御手紙です

大尉だよ

や！失礼しました！

俺の「美しい未来」だ！

なんだ！？

おーっ！！

Glacier Inu Gaur

68

ッターン···

ゴッ

ドシャ

ふー

大丈夫だ
ロイ

え

銃撃!?

鷹···?

俺達にゃ
「鷹の眼」が
ついてる

まだ士官学校生だけどなんせ腕が良いんでな

前線まで連れて来られたらしいぜ

仲間内でちょっと話題になってる

ああまだ無名の狙撃兵だ

はっ…そんなヒヨッ子まで引っ張り出さなきゃならんとは…

末期だよな

72

74

この女も
人殺しの目に
なってしまった

さて
ドクター

見せたまえ

おお…

……！！
賢者の石

すばらしい！
よくやった
マルコー！

これがあれば
殲滅戦は
すぐに終わる

頼んだぞ
キンブリー少佐

ゾルフ・J・キンブリー

おっと
紹介が
まだだったな

紅蓮の
錬金術師です

どした？

………!!

あんた中央のマルコーさんだろ

見た事ある

貴方は…？

ノックスっつー ショボい医者だよ

イシュヴァールへ ようこそ

軍医ですか

ちょっと前まではな

前…？ …って!?

ぎぃゃああ
あ
あ
あ

なんだ!?

イシュヴァール人を使って火傷と苦痛が人体に与える影響についてのデータ採取

人体実験!? ここで!?

貴方が…医者がそんな事をやらされているのか!?

医者…そうだよな 医者なんだよなぁ

カンダ地区でイシュヴァール人の治療を続けてるアメストリスの医者夫婦がいるってよ

なんだって!?

聞いたかい

バカな…自殺行為だ!

79

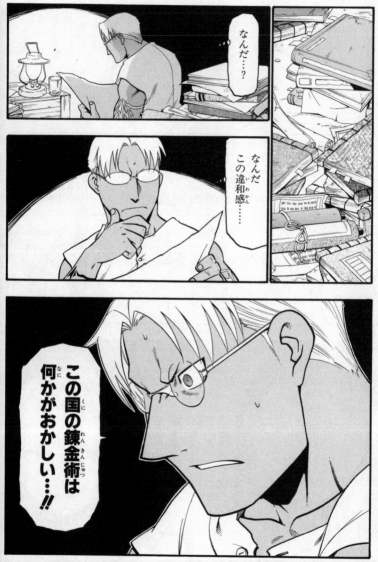

なんだ…？

なんだ
この違和感……

この国の錬金術は
何かがおかしい…!!

FULLMETAL
ALCHEMIST

そのために
錬金術を
学んだのだ
けれど…

師匠には
とうとう
秘伝を教えて
もらえなかった

…いや
青臭い夢を
話してしまったな

いいえ

……………

父の残した
秘伝は

並の錬金術師には
解読できない暗号で
書かれていると
言ってました

素晴らしい
夢だと
思います

やはり師匠は秘伝の書物を残して逝かれたのか…

いいえ

書物ではありません

生涯の研究が消失したり部外者に持ち出されては困る…と

どうやって残したんだ?

マスタングさん

その夢…

皆が幸せに暮らせる未来を信じて良いですか

背中を託して良いですか

信じていたのに

なぜこんな事になってしまったのでしょうか

第60話
神の不在

相手を倒した時

「当たった！よし！」と
自分の腕前に自惚れ
仕事に達成感を
感じる瞬間が
少しでも無いと
言いきれますか？

狙撃手さん

私からすれば
あなたがたの方が
理解できない

戦場という
特殊な場に
正当性を
求める方が
おかしい

…………
それ以上
言うな！！

なぜですか!!
なぜ こんな戦いを 続けねば ならんのですか!!!
黙れ!!
立て アームストロング!!
貴様 この状況が わかっているのか!?
ドーーン
立て!!
戦え!!
貴様が 戦わなければ 仲間が 死ぬのだぞ!!!

敵と味方の
この兵差では
仕方ありません…
フェスラー准将…

加えて
アームストロング少佐の
抜けた今
もう一度
作戦を練り直し…

突撃だ!!

ええい…
グンジャ地区は
もう
片付いたと
いうのに…!!

もうよい!!
腰抜けが!!

代わりの
国家錬金術師を
よべ!!

そんな…
急には!!

死ぬ気で行け!!

反逆者どもに
国軍の魂を
見せてやれ!!

…この
能無しが!!

突撃で
散る事が
美だと
思ってるんで
しょうか?

「……？」

「いいぞ」

クソが!!
てめえの無鉄砲に
付き合わされて
味方が
何人死んだと
思ってやがる

南区
アイザック隊
通信途絶え
ました!!

西区
ハリー隊
退路を断たれ
救援を求めて
います!

ええいくそ!!
役立たずめ!!

ヒューズ大尉
出ろ!!

いッ…
アイサー!

俺か!!

西区だ!!

西区の
メインストリートを
奪取して
ハリー隊と
合流する!

ベルタ
アントン
シーザーは
右から回れ!
俺の動きに
合わせろ!

カウフマン!
ドーラ!
援護しろ!!

いいか
てめーら!!
なるべく
死ぬなよ!!

GO GO GO!!

イシュヴァールの
要である
大僧正
ローグ゠ロウの首だ

もう…

不満が
あるかね？

双方
死ぬのは
私で最後に
してほしい

お？

わかりました

上に
話を通しましょう

なんだ？

何故
戦闘をやめた？

あれは
何者だ？

107

イシュヴァラ教
最高責任者
ローグ゠ロウです

大総統閣下に
話がしたいと
言うので
連れて来ました

馬鹿者!!
殲滅者!!
誰であろうと
一人残さず
殺せという
命令だ!!

誰が戦闘を
やめろと言った!!
持ち場に戻れ!!

ええ…
いい所まで
押していたと
いうのに…

イシュヴァールの
豚どもを
殲滅しろ!!

突撃だ!!!
さっさと全区
陥として来い
グズどもを!!!

どうした
早くしろ!!

命令が…
フェスラー准将
ご存知
ですかな?

其方と大総統閣下との取り引きが上手くいく事をただ祈るのみよ

貴様一人の命で残り数万のイシュヴァール人を助けろと？

ほう…

いかにも

私は…自惚れるな

貴様一人の命と
残り数万の命とで
同等の価値が
あると?

自惚れも
たいがいにせよ
人間

一人の命は
その者一人分の
価値しか無く
それ以上にも
それ以下にもならん

替えは
きかん

殲滅も
止めん

連れて行け

つまらぬ事で
時間を
取らせおって

112

この…
人で無しめが!!

神の鉄槌が下るぞ!!

神だと?

さて
不思議な

この状況で
いまだ私に
神の鉄槌は
下らないでは
ないか

そもそも
神とはなんだ?

イシュヴァール人が
滅びようとしている
今になっても
神は現れん

いつどこに
神は現れ
貴様らを
救うのかね?

この先特定の宗教を選ぶ事になったとしてもイシュヴァラ教は選びません

はっ…

俺もだよ

神サマに見捨てられた宗教なんざ願い下げだ

ならば我々に鉄槌を下しに来るのは神ではなくあくまで"人間"だろうな

——そう……

神は人間によって創りあげられた人の手によるものにすぎん

イシュヴァールに
武器を与え
国軍を煽って
おきながら
いざとなったら
見捨てるのか…

アエルゴ人よ!!
貴様らも
イシュヴァール人を
見殺しにすると
いうのか!!

我々を
使い捨てに
するのか…!!

世界の全てが
イシュヴァールを
否定しようとも

必ず
生き残ってやる!!!

おのれ…

この屈辱
忘れんぞ…

なんでよ!!

なんで
子供ばかり
運ばれて来るのよ!!

ほう！
それは
すごいですね

困った
ものだよ

再三の
帰国要請にも
耳を貸さんで
未だに
イシュヴァール人を
治療し続けている

いいですね

意志を
貫く人間は
好きですよ

おっと失礼…

…で
この部隊は
足踏みしている
という訳ですか

むぅ…

うむ…
二人を
保護するにしても
敵陣の
真っ直中だ

かなりの
損失が
見込まれる

本当に
困った
ものだよ

錬金術の基本は理解・分解・再構築だ

この右腕が分解

左腕が再構築

東の錬丹術を研究し私なりにアレンジした…

そんなものはどうでもいい!!

国軍が…

おいやめろ!

なぜ止める!!兄者はここに来てまだ神に逆らう研究をしているのだぞ!!

おまえの兄の研究がイシュヴァールを救うかもしれないのだから

何!?

たのむからおさえてくれよ

聞いたか?国家錬金術師の事を…

兵器として投入され恐ろしい力でイシュヴァールを蹂躙しているという話だ

知っている！
もうすぐそこまで来ているとも聞いた！

それと兄となんの関係がある!?

力を超える力で……

錬金術で奴らに報復を！

国家錬金術師に対抗し得て更にそれを超える強大な力で国軍に攻撃を与える方法をみつけ出すかもしれない

…見ろ兄者…

これが兄者が傾倒する錬金術だ…

血の報いを!!

人のため
幸福のためと
願っても
誰もそうは
見てくれぬでは
ないか!!

ぬがっ…!!

くっ…

123

FULLMETAL
ALCHEMIST

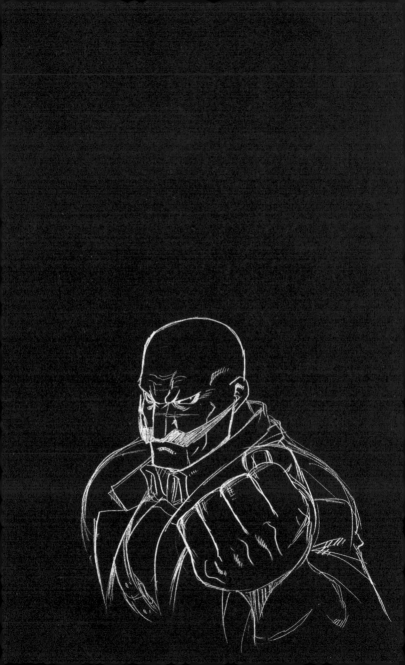

ドドドドドド
ああ いい音だ…
身体の底に響く 実にいい音だ
ドーン
ドドドドドド
脊髄が哀しく踊り 鼓膜が歓喜に震える
そしてそれを常に死と隣り合わせのこの地で感じる事ができる喜び…
なんと充実した仕事か!!

第61話
イシュヴァールの英雄

FULLMETAL
ALCHEMIST

いまいち
美しくない…

んん!……

見てください
イシュヴァールの
奴ら!!

あんな…

仕事なのですから
美しく!!
完璧に!!

大絶叫を伴い
無慈悲に
圧倒的に!!!

あ…あの…

さぁ
次に
行きますよ

待って
くださいよ
少佐ぁー

ちょっ…

ぐいッ

っうぜら!?

ルルルルルル
ルルルルルル
ルルルルルル

国家錬金術師が来ているらしいよ!

やっかいな!一般兵の十や二十なら己れがなんとかしてみせるのに……!!

おい

バラバラに逃げてまとまっているよりは一族が一度にやられる可能性が

あたしは家族となんべつにはなんないよ!

これおまえが持っててくれ

なんだこれは?

私の研究書だ

!?

これしか持ち出せなかったんだ

持って逃げてくれ

持って逃げてくれ

自分で持って逃げればいいだろうが!!

おまえは厳しい修練を積んだ立派な武僧だ

ちょっと待て…

私にもしもの事があったらせっかくの研究がパアになる

グイッ

おいっ

136

私より
おまえの方が
生き残る
確率が
高いだろ?

見ろ…
闘いに
放り込まれた
とたん
足の震えが
止まらない…

なさけない
兄だ

兄者…

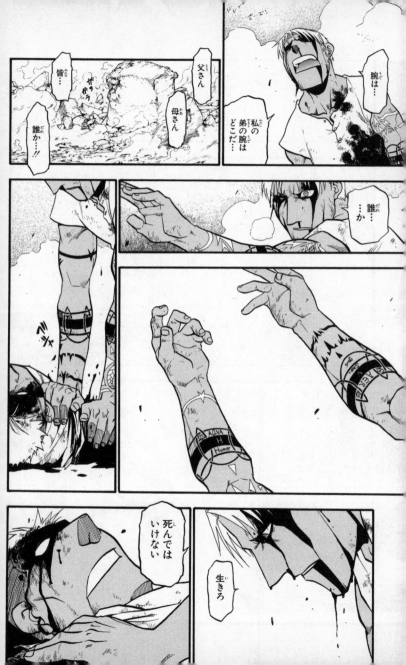

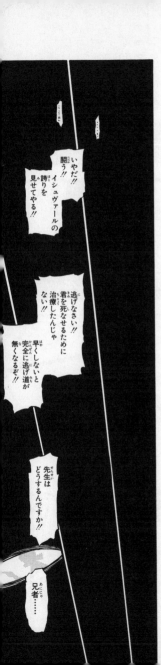

いやだ!!
闘う!!
イシュヴァールの
誇りを
見せてやる!!

逃げなさい!!
君を死なせるために
治療したんじゃ
ない!!

早くしないと
完全に逃げ道が
無くなるぞ!!

先生は
どうするんですか!!

兄者……

マスタング少佐

ここで最後です

ご老人

あなたが最後だ

何か言いたい事はあるか？

少佐…！

151

恨（うら）みます

──本部（ほんぶ）了解（りょうかい）

152

諸君

最後のダリハ地区が墜ちた

イシュヴァール全区完全に国軍の管轄に入った

終わった…？

終わったのか!?

なんだよ…なんの余韻も無ぇな!!

ゴ

F中隊は国境線にそって残党をさらう 工兵隊は鉄道復旧に回

あぁ…

やっと帰れる…

すぐ帰れるのか!?

わかんねえけど正式発表まだっしょ?

母ちゃんのみやげ何にしよう?!

知るか!!

きっとウチのオカン時間かかりそうだな

あとは国境の残党帰除だってよ

ざわ

ざわ

一杯どうですか

マスタング少佐

君達の名は？

わはは

みろ！
やっぱり
俺達の事
知らなかった！

貴方の隊ですよ
少佐

もっとも
俺達は
末端なんで
知らないのも
無理はない

こっちが
アルベルト

おい！
酒が
足んねぇ！

どこの隊だ？

チャーリー
です

ファビオ

リチャード

ディーノです

アレッサンドラと
言います

この中で
一番若い

この戦いで私の若い理想は打ち砕かれた

この国を護るだなどと言っても実際はたった一握りの人を守るので精一杯ではないか

「これだけたくさんの兵を守れた」?

これだけしか助けられなかったのだ愚かな自分は!

157

理想とか
綺麗事と言うが
それを
成しとげた時
それはただの
"可能な事"に
成り下がる

…おまえ
考え方は
変わったけど
根っこは
青臭いままだな！

はは

理想を語れよ
ヒューズ

士官学校の
あの頃のように

理想を
語れなくなったら
人間の進化は
止まるぞ

てぇことは
……だ

この国丸ごと
みんな守るにゃ
ネズミの天辺に
いなきゃならねぇな

あそこは
さぞかし気分が
いいだろうな
ヒューズ

だが
私一人の力では
あそこに
登りつめる事は
できない
その自信がある

何を
威張っとるんだ
おまえは！

わはは

どすっ

面白そうじゃ
ねぇか
一口
乗ってやるよ

おまえの
青臭い理想が
神をも恐れぬ
あの
キング・ブラッドレイが
作りあげた国を
どう変えるか
見てみたい

ほほう…

160

主戦闘は終了した

あとは残党狩りだが　これは君の力を借りるまでも無い

ご苦労だったな　キンブリー少佐

どうだ？賢者の石は

すばらしいの一言です

等価交換を無視し　予想以上の錬成を行えましたよ

うむ　そうであろう！

君には今回の戦果を中央に報告してもらう

さあ　石を返したまえ

これは厳重に保管しておかねばならん

ぽん

162

置いて行かれるぞ

帰らないのか?

戦友のか?

いいえ

イシュヴァール人の子供……道端に一人だけ打ち捨てられていたので

…帰ろう　戦は終わった

まだ私の中でイシュヴァールの戦いは終わっていません

いいえ…一生終わらないでしょう

それが望まない結果になったとしても事実から逃れる事はできません

貴方を信じ父の研究を託したのは私

国民の幸福を願い士官学校に入るのを決めたのも私

否定し
償い
許しを乞うなど
殺した側の
傲慢です

お願いが
あります
マスタングさん

私の背中を

焼いて
潰してください

何をっ…

そんな事
できる訳…

せめて!!

償えないのなら
せめて
新たな
焔の錬金術師を
生み出さぬ
ように

この背中の
秘伝が
使いものに
ならない
ように

そして父と錬金術の縛めを下ろしリザ・ホークアイ個人になるために

お願いします

どれ位焼けば死ぬか…あるいは生活に支障が無いか

火傷の深度も範囲も思いのままになってしまった

皮肉なものだこの戦いで人を焼くのに慣れすぎた

...カツン

リザ・ホークアイです

イシュヴァールであんな思いをしたのに結局この道を選んだのか

はい

自分で選び自分の意思で軍服に袖を通しました

得意分野はなんだ

銃です

銃はいいです

剣やナイフと違って人の死に行く感触が手に残りませんから

そうやって自分をごまかして手を汚し続けるのか

欺瞞だな

手を汚し血を流すのは我々軍人だけがすればいい

そうです

イシュヴァールのようなあんな思いをするのは我々だけで充分でしょう

錬金術師が言う通りこの世の理が等価交換で表せるのなら

新しく生まれて来る世代が幸福を享受できるように

我々は屍を背負い血の河を渡るのです

その代価として

付いて来てくれるか

了解しました

お望みとあらば地獄まで

私は非力な人間だ

それ故に全てを守るには君達の協力が必要だ

その下の者は更に下の者を守るだろう

私が君達の命を守る

君達はその手で守れる数だけ…わずかでいい下の者を守れ

何があっても生き意地汚く生きのびろ

生きて皆でこの国を変えてみせよう

神の地も……

家族も
仲間も

守るものなど
なにひとつ
無くなった……

……復讐だ!!!

…だが
この歩みを進める
力はなんだ?

この身ひとつ
ただ
復讐のために…

生きのびてやる!!

掲載・月刊少年ガンガン平成18年5月号〜8月号

鋼の錬金術師⑮　おわり

おまけ

61話の傷の男

宴会芸を やらされていた。

牛小屋日記
答える牛!! 編2

わーい 今回は おまけページ いっぱいですよー

そんな訳で また 皆人の質問に お答えする コーナーです!!

てきとに

開く!!

『ジャン』!!

『ジャン』!!

さて 取り出しましたるは 西洋人名辞典

ででん

西洋人名辞典

ぶ厚いよ

Q．キャラの名前は どうやって 決めてるの？

ジャン・ハボックに しよーっと

ほぼ こんな感じで けっこう いいかげんです

かき かき

軍人さんの 名字は やはり 戦闘機や 航空機メーカーの 名前から 取ったりね

連載初期の頃は デビルズ・ネストの 人々は 酒屋のチラシから 取ったり

どんな名前に しようかな

ロゼ ハクロ マーテル ロア ドルチェット etc…

Q．エドとアルの 名字はやはり 「エルリック・サーガ」から 取ったのですか？

すんません エルリック・サーガって 読んだ事 無いです

Q．ゾルフ・J・キンブリーの 「J」って何の J？

J？

えーっ

『ジャジャジャ ジャーン』の J

ほんとに いいかげんです

そーいや 指輪物語とか ハリーポタとか クトゥルー神話も 全くと言って良い程 読んでないねー

ファンタジー好き達に 押さえとけって 有名どころを 描いてるアマが それでいいのか？

いまって ファンタジーに 分類されるアマ が

ははははは

君の瞳に…

こわっ!!!

エドワードと魔法のランプ

鋼の錬金術師 15
すぺしゃるさんくすー

髙枝景水 さん
ひのでや三吉 さん
杜康潤 さん
あいゆーぼーる さん
のの さん
上遠野洋一 さん
水谷麻志 さん
酒巻 さん
くぅぽん さん
高木沙織 さん

ゆづか正成 先生

担当 下村裕一 氏

AND YOU!!

舞台は

我々はまた戻ってくるぞ

歩みを止める者などいない

この枯れた年寄りにご指名だよ

イシュヴァールの事話してくれてありがとう

ニコ

ほんのお礼です

―― 求めるものは違えど

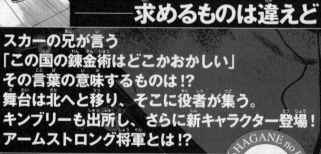

スカーの兄が言う
「この国の錬金術はどこかおかしい」
その言葉の意味するものは!?
舞台は北へと移り、そこに役者が集う。
キンブリーも出所し、さらに新キャラクター登場!
アームストロング将軍とは!?

第16巻
HAGANE no RENKINJUTSUSHI no.16

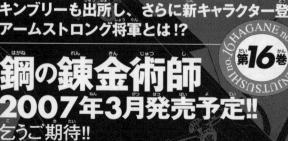

鋼の錬金術師
2007年3月発売予定!!
乞うご期待!!

ガンガンコミックス

はがねのれんきんじゅつし
鋼の錬金術師
FULLMETAL ALCHEMIST

鋼の錬金術師 15

2006年12月22日
初版

著 者　　荒川 弘

©2006 Hiromu Arakawa

発行人
田口浩司
発行所
株式会社スクウェア・エニックス

〒151-8544　東京都渋谷区代々木3-22-7　新宿文化クイントビル3階
〈内容についてのお問い合わせ〉　　　　　　 TEL 03(5333)0835
〈販売・営業に関するお問い合わせ〉　　　　 TEL 03(5333)0832
　　　　　　　　　　　　　　　　　　　　 FAX 03(5352)6464
印刷所　　　図書印刷株式会社

無断転載・上演・上映・放送を禁じます。乱丁・落丁本はお取り替え
致します。大変お手数ですが、購入された書店名と不具合箇所を明記
して小社出版業務部宛にお送り下さい。送料は小社負担でお取り替え
致します。但し、古書店でご購入されたものについてはお取り替えに
応じかねます。定価は表紙カバーに表示してあります。

Printed in Japan

ISBN4-7575-1812-9 C9979

少年ガンガン
GANGAN

毎月12日発売!!

鋼の錬金術師
●荒川 弘　好評連載中

好評連載中

夏のあらし!
●小林 尽

月刊ガンガンWING
ガンガンウイング

毎月26日発売!!

G Fantasy
Gファンタジー

毎月18日発売!!

隠の王
なばり　おう
●鎌谷悠希　好評連載中

好評連載中

すもももももも ～地上最強のヨメ～
●大高 忍

ヤングガンガン
GANGAN

毎月第1・第3金曜日発売!!